云朵工厂

La fábrica de nubes

[西]霍尔迪·塞拉·依·法布拉 / 著

[西]比微·埃斯格里瓦 / 绘

李竞阳 / 译

天津出版传媒集团

新蕾出版社

图书在版编目 (CIP) 数据

云朵工厂 / (西)法布拉著;(西)埃斯格里瓦绘;
李竞阳译.――天津:新蕾出版社,2014.9(2018.1 重印)
(国际大奖小说·注音版)
ISBN 978-7-5307-6130-4

Ⅰ.①云… Ⅱ.①法…②埃…③李… Ⅲ.①儿童文
学-中篇小说-西班牙-现代 Ⅳ.①I551.45

中国版本图书馆 CIP 数据核字(2014)第 172525 号

Original title: La fábrica de nubes
ⓒ Jordi Sierra I Fabra / Ediciones SM, 1991
Simplified Chinese edition published by arrangement with Ediciones
SM
Simplified Chinese translation copyright ⓒ 2014 by New Buds
Publishing House (Tianjin) Limited Company
ALL RIGHTS RESERVED
津图登字:02-2011-146

出版发行 天津出版传媒集团
　　　　　新蕾出版社
e-mail:newbuds@public.tpt.tj.cn
http://www.newbuds.cn
地　　址:天津市和平区西康路 35 号(300051)
出 版 人:马梅
电　　话:总编办(022)23332422
　　　　　发行部(022)23332676　23332677
传　　真:(022)23332422
经　　销:全国新华书店
印　　刷:北京盛通印刷股份有限公司
开　　本:787mm×1092mm　1/16
字　　数:53 千字
印　　张:7
版　　次:2014 年 9 月第 1 版　2018 年 1 月第 15 次印刷
定　　价:20.00 元

著作权所有,请勿擅用本书制作各类出版物,违者必究。
如发现印、装质量问题,影响阅读,请与本社发行部联系调换。
地址:天津市和平区西康路 35 号
电话:(022)23332677　邮编:300051

让孩子登上阅读快车

王林／儿童阅读专家

　　"国际大奖小说"书系集合了世界各国的经典儿童文学作品。这个经典，不是成人读过的四大名著和鲁迅作品，而是儿童文学的经典；这个儿童文学，也已经跨越了安徒生童话和格林童话，是当代儿童文学的经典。

　　"国际大奖小说"书系畅销十多年，已然成为童书市场的"常青树"和品牌书。无数的孩子喜悦地翻看它们、阅读它们，这些书也喜悦地住进了孩子的心里。

　　"国际大奖小说"书系的读者群，基本上都是小学中、高年级的学生，甚至中学生。而对于识字量有限的小学低年级孩子，则会因为书中文字量大而选择要么让大人读来听，要么弃而不读了。

　　小学低年级的孩子，其实应该是一个得到更多关注的阅读群体。想想这些孩子吧，他们收起爱掉的眼泪和爱淌的鼻涕，睁着好奇的眼睛走进校园,开始正式的集体学习生活。过去,妈妈可能每天还会在床头朗读图画书,但上学后这样的时光会越来越少。他们在老师的带领下,识字、学拼音、读课文,从结结巴巴到逐步流利,正在蹚过一条独立阅读的"河"。

所有的孩子都要迈向独立阅读,如同所有的孩子都要独立面对生活。我们除了满心的祝福,还要伸出扶助的手。

"国际大奖小说·注音版"就是这双"扶助的手"。这双手,为低年级孩子选择了这些书,并标注了拼音,让文字不再成为阅读的阻碍;这些书,不论是内容主题还是文字深浅,都适合孩子;这些书,让孩子登上阅读快车,我们则留在站台上,用爱的目光伴他们远行!

La fábrica de nubes ·目 录·

云朵工厂

>> 前言 …………………………………… 001

>> 帕侗鲁姆的云朵工厂 ………………… 002

>> 普鲁布的麻烦 ………………………… 013

>> 奇妙的点子 …………………………… 027

>> 彩色的云朵 …………………………… 035

>> 市长的电话 …………………………… 044

>> 布朗姆的决定 ………………………… 055

>> 市民的反响 …………………………… 064

>> 不可预料的转机 ……………………… 074

>> 焦急的拜访 …………………………… 082

>> 美好的未来 …………………………… 092

>> 后记 …………………………………… 103

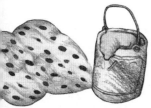

致世界上所有的工厂：

　　希望它们能绘出健康的彩色云雾，也希望它们不再制造出如此多的有害烟雾。

　　感谢何塞·路易斯·缪斯——绝妙的侦探小说家。1988年6月1日在阿维莱斯，当看到一股浓密的白色烟雾时，他失声喊出来："真像一座云朵工厂！"

　　"嚓"的一声，我捕捉到了灵感。

霍尔迪·塞拉·依·法布拉

qián yán
前　言

wǒ yào gēn nǐ jiǎng shù yí gè fā shēng zài xiǎo xiǎo de nèi lù guó
我要跟你讲述一个发生在小小的内陆国

jiā de gù shi　nà ge guó jiā jiào pà pèi lǔ mǔ　jì méi yǒu hǎi　yě
家的故事。那个国家叫帕佩鲁姆，既没有海，也

méi yǒu yún duǒ　　nà xiē bù kě huò quē de yún duǒ　dàn shì　nà yòu
没有云朵——那些不可或缺的云朵！但是，那又

shì yí gè nà me nà me tè bié de guó jiā　tā men de jū mín zì jǐ
是一个那么那么特别的国家，他们的居民自己

shēng chǎn nà xiē tā men quē shǎo de dōng xi
生产那些他们缺少的东西。

bǐ rú　　　yún duǒ
比如……云朵。

gù shi jiù cóng pà pèi lǔ mǔ nà zuò bù tóng xún cháng de yún duǒ
故事就从帕佩鲁姆那座不同寻常的云朵

gōng chǎng kāi shǐ le
工厂开始了。

帕佩鲁姆的云朵工厂

帕佩鲁姆不仅是这个国家的名字，还是这个国家首都的名字，因为这个国家只有一座城市。整座城市周围环绕着一座座山，山外有一望无际的草原和肥沃的土地。这是一座美妙的城市，是帕佩鲁姆人的骄傲。市里所有居民都彼此认识，他们宁静祥和地生活在一起。这里既没有军队，也没有进出口贸易，没有危机，也没有饥荒。帕佩鲁姆的居民们把自

己的事情管理得格外好。

除此之外，他们和你我一样，和纽约居民或者是大阪居民一样生活，没什么不同。

为了利用常常刮来的北风切割云朵，云朵工厂坐落在城市的南郊，这样的话就不需要额外的花费了。

就连风儿本身，也非常乐意合作。它和云朵嬉戏，推推搡搡，把云朵从一个地方推到另一个地方。

工厂是什么样的呢？

嗯……就像所有的工厂一样，不过这个工厂要更加艳丽明亮。它的墙壁都被涂上了颜色。从空中向下望去，工厂就像一座从模子里刻出来的彩虹桥立在地面上。制作云朵的水被储藏在一个非常大的水库里。而热能系统的管道则纵横交错地环绕在水库周围，连接着主机和用来把水变成蒸汽的蒸汽机。通常，蒸汽先通过云朵模子塑形，经过质量检验之后，再进行最关键的一道工序——涂绘。最后，云朵便从工厂的那个巨大的烟囱里面钻出来，被风推动着向上飘到空中，开始了它们的生命历程。

为什么涂绘云朵如此重要呢？因为涂绘

就像是给云朵一张身份证，标明每一片云朵的作用和存在的理由。

看到一片片洁白的云朵飘在空中，你会带伞出门吗？看到一片片乌云滚滚而来，你不担心刚刚晾上的衣服吗？

因此每一朵云都有一副它们应有的模样，没有半点儿差错。外表的涂色成了它们的衣裳、它们的制服，也是它们的身份证。

穿上消防员服装的云朵不会去为足球比赛当裁判，而穿上飞行员服装的云朵也不会去做接待员的工作。那些装满雨的黑云是为了浇灌大地，那些软绵绵的白云是为

了装扮天空，那些层层叠叠的云朵是为了减少强烈太阳光的危害，还有那些傍晚的云霞是为了让黄昏时分变得更加美丽。

每一朵云都有自己的涂色，从白到黑，贯穿了整个色系。

因此，不难理解为什么这个工厂里最重要的人就是云朵涂绘师。

普鲁布是帕佩鲁姆最棒的，也是独一无二的云朵涂绘师，而且他还是工厂的负责人。

他又高又瘦，大大的鼻子上架着一副圆圆的眼镜，粗大的喉结在脖子中间上下滑动，就像一粒刚咽下去的乒乓球，头发的末

梢和靴子沾满了颜料。

这就是普鲁布，一位和蔼可亲、好心肠，又有些迷迷糊糊的天才，一位敬业的艺术家。

布朗姆先生是云朵工厂的老板，他了解普鲁布，因此才让他来管理云朵工厂，并且从不插手普鲁布的事情。对于布朗姆来说，最重要的事情就是平静地生活，就像他现在一样。

运转完美的云朵工厂里能有什么问题？那个好伙计普鲁布管理着一切，云朵工厂里能发生什么问题？什么问题都没有！

布朗姆先生的一切都和普鲁布相反。

他矮矮的个子，几乎没有脖子，胖胖的身材显得整个人短粗短粗的，脸颊通红，亮亮的秃顶刺得人眼睛发疼，尤其在户外跟他说话的时候甚至要戴上太阳镜。他嘴唇上面的两撇大胡子就像网球场上深色的球网似的，把整张脸分割成了两半。

布朗姆先生通常会叼着一个巨大的烟斗，还穿着一袭大礼服。这身装扮早就过时了，但他认为一个成功的领导就得有一副尊贵的样子。

他把这叫作"阶层"。

这么说吧，普鲁布细心专注，一心扑在

工作上，他为他的云朵感到满意、骄傲；而布朗姆先生却整日无所事事。虽然这一切都是事实，但布朗姆却不这样想。

"众所周知，舰艇都得由一个好船长来掌舵。"云朵工厂老板满心公正地指出这一点。

至少，直到那一天，一切都是进展顺利的。

那一天……

普鲁布的麻烦

那一天，普鲁布从未想过会发生这样的事情。

他到达工厂后，像往常一样做着准备工作——用五分钟脱掉外套，穿上白靴子，又用五分钟准备好绘画材料。三十年来一向如此，这是他的习惯。

等到哨声一响，普鲁布就要开始

工作了！

他的左手边是当天的订货单，右手边则是为修饰云朵准备的颜料桶、画笔和油刷。正前方是云朵塑形机的出口——棉花糖一样的云朵从这个口出来时就像是"圣诞老人的胡子"。

普鲁布的头顶上面是烟囱口，当他一个接一个地涂绘云朵时，制作完成的云朵就会飘向烟囱口。

而烟囱则使劲把云朵大口吞进去，然后"啪"的一声用尽全身力量把云朵推到高空。

"我们先来看看今天有什么任务……"普
鲁布像往常一样充满激情。

第一张订货单来自农场主松巴先生。

他的奶牛最近产奶量不足，他怀疑是天气热
的原因，所以想要一片云——不用太抢眼，
也不要光彩夺目，但绝对要白，可以遮挡白天
的太阳。

哨声响了。云朵工厂开工啦。

咔嚓，咔嚓……噗噜，噗噜……咔嗒噗噜
咝，咔嗒噗噜咝……

第一片云出来啦，因为这朵云不是雨云，
所以使用的水蒸气特别少。这是一项非常

xì zhì de gōng zuò pǔ lǔ bù ná qǐ zhàn mǎn bái sè yán liào de huà
细致的工作。普鲁布拿起蘸满白色颜料的画

bǐ zǐ zǐ xì xì de tú huì qǐ lái xiāng xìn sōng bā xiān sheng de nǎi
笔仔仔细细地涂绘起来。相信松巴先生的奶

niú yí dìng huì fēi cháng xǐ huan de dào shí kěn dìng néng mǎn zú de
牛一定会非常喜欢的，到时肯定能满足地

chǎn chū gèng duō de nǎi
产出更多的奶。

hái zi men jiù yǒu zú gòu de niú nǎi hē le
孩子们就有足够的牛奶喝了。

bái sè de yán liào fù gài dào yún duǒ shēn shang pǔ lǔ bù fàng
白色的颜料覆盖到云朵身上。普鲁布放

xià huà bǐ ná qǐ yóu shuā zhè lǐ tú tú nà lǐ mǒ mǒ gǎi dòng
下画笔，拿起油刷，这里涂涂，那里抹抹，改动

yí xià zhè biān wán shàn yí xià nà biān
一下这边，完善一下那边。

jiù xiàng wǎng cháng yí yàng pǔ lǔ bù zuò chū lái de yún duǒ
就像往常一样，普鲁布做出来的云朵

yàng zi fēi cháng piào liang
样子非常漂亮。

yǐ jīng tú huì hǎo de jǐ duǒ yún hái méi yǒu jìn dào yān cōng kǒng
已经涂绘好的几朵云还没有进到烟囱孔

li qù yī jiù zài fēng shàn xià děng zhe róu hé de fēng bǎ tā men chuī
里去，依旧在风扇下等着柔和的风把它们吹

干。突然，机器停止出颜料了。

普鲁布按了一下按钮。没有反应，什么都
没出来。

他看了看机器的显示仪，心想可能过一
会儿机器就会正常运转了，到时候颜料四
处乱喷，他就会像电影中那样弄得全身都
是。

如果情况不是这样呢？想到这儿他开始
恐惧了。

如果汽化器并没有堵塞呢？如果是一个
想不到的原因呢？

他关闭了蒸汽机，工厂里一下子安静

了。他奔向那些密封的颜料桶，打开了白色颜料桶的盖子。

普鲁布傻眼了。桶里面一滴颜料都不剩！

天哪，怎么会这样？普鲁布大吃一惊，颤抖着打开黑色颜料桶。这两个桶好像他的左膀右臂，因为用白色与黑色颜料混合之后可以调出灰色系内的任何一种颜色。

然而黑色颜料桶剩下的颜料也只够汽化器喷上一次的了！

他害怕得腿直打哆嗦。怎么办呢？这……简直……不可能。颜料工厂的工人们每天都会

负责地装满连接颜料桶的主颜料箱。他们从来没有失职过。肯定是有什么事让他们耽搁了，才导致今天的颜料供应延迟了。可是到底是什么事呢？

普鲁布忐忑不安，该怎么向布朗姆先生交代呀！

还有那些等着云朵的人们，尤其是松巴先生家的奶牛该怎么办呢？

"哎呀……哎呀……哎呀……"焦急烦躁的普鲁布呻吟起来。

他咬了咬嘴唇，还是没法儿相信这一切。

他看了看颜料桶，接着又望了望烟囱，然后

六神无主地注视着等待涂绘的那片云朵，不知道该怎么办才好。他的眼睛瞟瞟这里，又瞄瞄那里，喉结忽上忽下就像是一座发了疯的电梯上下滑动，头上渗出的汗珠儿几乎淋湿了眼镜。

不能再等了！

想到这儿，普鲁布急忙跑向很少使用的休息室，拿起屋里那部从来不用的电话（吝啬的布朗姆先生从不给他电话费），拨通了颜料工厂的号码。

"嘀——嘀——嘀。您拨打的电话正在通话中。"

“糟糕透了！”普鲁布喃喃自语。

他又试了一次。

然后第三次、第四次、第五次……直到第七次，他才成功拨通电话，紧接着一个咆哮的声音响起，震疼了他的耳膜。

“您说！”

普鲁布把听筒离耳朵稍稍远了点，不祥的预感刺激着他，就好似头顶上笼罩着一片片乌云。

“您好！”他轻声说道，“我是普鲁布，云朵工厂的负责人。”

“我正要找你呢！你这个罪魁祸首。”电

话线另一端的声音喊叫起来，"你还想干吗？"

普鲁布生气了。他很少生气，但是这一次……

"什么叫作我想干吗？"他也提高了嗓门儿，"这还用问吗！我想要颜料！"

"哈哈……"

电话那头响起一阵大笑声。那是一阵令人不快的有讽刺味道的大笑，是一阵干枯而愚蠢的放声大笑。

"有什么可笑的？"普鲁布不满了，"我连一滴颜料都没了！您难道没听懂吗？您那边从来没有弄错过的！"

“那还得等上三天，至少三天！”

普鲁布的脑子现在不只是一片空白，简直已经透明了。

“三……天？”

“是的！”那个声音重新叫喊起来，“你别跟我装疯卖傻！是谁昨晚弄了一大片满载暴风雨的云来浇灌城市北部的村庄？是谁把雨装得那么多？你想让我告诉你吗？就是你那该死的工厂！”

“但……但……但是……”

“但是什么？你还有什么不明白的吗？那你把二加二等于几算一下就知道了！你觉得

我们工厂在哪里？就在北部村庄旁边！"那个声音又变得狂躁起来，"你让我们工厂彻彻底底湿透了，而我们得耗尽所有的积蓄才能把它弄干，我们先别说颜料，就说工厂外面那条路，现在变得坑坑洼洼的，根本不能通行！而你还在问我为什么没有给你供应你那可爱的颜料？"

普鲁布听得目瞪口呆，一句话也说不出来。接着，他听到"啪"的一声，发怒的人挂掉了电话。

普鲁布一动不动，手中仍握着听筒，脸上挂着一副做了噩梦的表情，望向办公室外面——那瘫痪的云朵工厂。

一个问题。

一个严重的问题。

奇妙的点子
qí miào de diǎn zi

事情已经发生了，该怎么补救呢？

普鲁布的脑子开始转了起来。

不用说，布朗姆先生会把所有的责任都推到他身上；也不用说，布朗姆先生会把未预见到的错误都归咎于他；甚至不用说，布朗姆先生会责骂他办事马虎；更不用说，布朗姆先生还会责怪他没有注意到前一天的云负载了过多的雨。

一切都会冲他来的!

其实,这还不算什么。

最坏的是云朵工厂可从来没有耽误过供货。

这可怎么办才好?

他走出那个被惶恐侵袭了的办公室。沉沉的寂静之中,连他自己的脚步声,都让他吓了一大跳。

没有颜料的三天,该怎么办呢?

他站在窗子前,天空晴朗,澄澈明净,万里无云。当然不会有云——还没开始生产云呢。如果布朗姆先生已经向政府通报了

这件事怎么办？如果那些头头儿们已经宣布紧急事件了怎么办？

他呆望着工厂的那些半成品，脑子完全被不祥之兆的乌云笼罩着，毫无头绪。他又看了看那些躁动不安的工人。在这危机时刻，一张张订单接踵而至，更是雪上加霜！

车间外面忙忙碌碌的装修工们正在按部就班地装饰着云朵工厂。泥瓦匠们认真地修补着墙面，铺砖盖瓦，木工师傅们制作着新的房梁，画匠们则在粉饰墙壁。

一道道工序有条不紊地进行着。

慢慢地，工厂变得非常漂亮，被刷成绿色、红色、蓝色、黄色……

普鲁布的心跳突然停顿了。

颜料！那下面有颜料！虽然不是完完全全的白和黑，但它的的确确就是颜料。

如果……

"不，不，你在想什么呢？"他喃喃自语，"你怎么能用……涂绘那些云？"

但是最重要的是什么呢？

毫无疑问，云才是重点。颜色是次要的。

他的心脏又开始跳动了，以一种狂野的节奏在跳动，仿佛有一匹马在胸中疾驰。

是的，他心中正在酝酿一个主意——这几天先以彩色颜料来代替平常的黑白颜料。

重要的是涂绘云朵，其他都是次要的。

颜料就像云朵的衣服，被云朵穿在身上，成为云朵本身的一部分，才算完成了最后的工序。对于这些，普鲁布都了解得一清二楚。

"事情也许并没有那么糟，也许根本不会有人发现云朵变了颜色。"普鲁布的呼吸越来越充满活力，这活力战胜了他最后一丝恐惧。

"人们总是喜欢低头思考自己的事情，为自己的事情担忧。如果他们没有抬起头望向天空，视线也没有……"

虽然他觉得这事不大可能发生，但是无论如何，他的好运已经不在了。带着英雄的决心、对抗危机的本能、在逆境中不屈不挠的精神，他走到用彩色颜料涂绘墙壁的画匠们那里。

他先向画匠们打听了一下是否还有多余的颜料。接着就向画匠们讨要了一些颜料。而那些画匠们非常友好，知道了普鲁布的烦恼后，给了他很多彩色颜料。

"听听，彩色的云朵，多妙的主意呀！"其中一个画匠兴奋地说道。

普鲁布眼中闪耀着感激的光芒。

从工厂的工人们到那些画匠们，所有人都在帮他搬运颜料。

在接下来的十分钟内，汽化器被冲洗干净，彩色颜料填满了空空如也的颜料桶。一切都准备妥当，普鲁布成功应对了挑战。

"开始干活儿吧！"他一声令下，工作又恢复到了以前的节奏。

如果幸运之神眷顾，当天的订货单能顺利完成；更幸运的话，布朗姆先生将对此一无所知。

彩色的云朵

第一片云朵穿着清新的草原绿色新装，从工厂的烟囱里出来，飘向了松巴先生的农场。那一抹翠绿，美得让人惊叹，让人心旷神怡！普鲁布走近窗边，看着它飘浮在天空中。面对自己第一个全新的作品，普鲁布的心脏在胸腔里紧紧地收缩了一下。

"它很美。"他吸了一口气，"但是……"

那片绿云朵在蓝蓝天穹的映衬下非常显眼，非常非常特别。

"好吧，已经这样了。"普鲁布忐忑不安地自言自语，"现在已经没有退路了，只能继续！"

他回到自己的工作岗位上。第二朵云已经从塑形机里探出头了。普鲁布瞅了眼订货单，发现这次是帕佩鲁姆幼儿园园长要求的：一朵能改变形状的棉花云，可以让孩子们猜猜那朵云到底像什么。这是一朵千变万化的云。

普鲁布为第二朵云涂了很多种颜色，让

它的色泽更加亮丽。看到这朵彩云，幼儿园里的孩子们将会更加开心！

就这样，他越来越投入，把所有的担心都抛诸脑后，无拘无束尽情发挥自己的创造力，尽情享受工作带来的乐趣。

第三朵云是耀眼的紫色。

第四朵云是低调的柠檬黄。

第五朵云是北极光的颜色。

这些美丽的色彩让人心潮澎湃！

啊，普鲁布是那样享受，仿佛是第一次工作一样，充满了干劲！他开始挑选出两种、三种或是更多颜色，混合起来组成一些新的色彩，并为其命名。同时，他会用一个本子整整齐齐地记下配方，以免过后忘掉。他自制了一朵奇幻的"紫红色的斗牛士披风"，制造了一朵可以嗅到湿润的乡村味道的"春雨过后的黄昏"，创作了一朵"喇叭花上的橙子"，发明了一朵"逆光紫罗兰"，还设计了一朵"透明斑点的花卉图案"……

每一个新的灵感，都让普鲁布觉得满心欢喜。

所有的担忧都被抛到角落里，慢慢消失。

从工厂的烟囱里出来的云朵，一朵比一朵鲜艳夺目，一片比一片异彩纷呈。

038

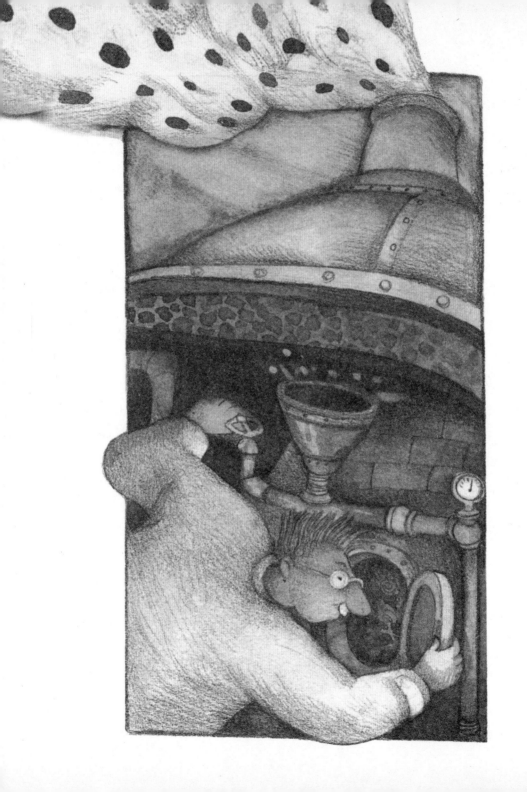

一整天，普鲁布一刻也没有停息，他比以往还要热爱自己的工作，甚至忘了吃饭，也忘了午后甜点。

他还忘了布朗姆先生。他画啊画，涂啊涂。当最后一片带斑点的云朵在他狂热的笔下完成时，他的灵感喷涌到了巅峰。

今天的订单都完成了，塑形机也停止了运转，工厂一下子安静了下来，普鲁布因没有云朵可画而感到意犹未尽。

此时铃声响遍了整个工厂，这意味着下班时间到了。他看着空空如也的机器，喃喃自语："没关系，明天还有机会。我还有一整

个晚上的时间用脑海里舞动的灵感来做实验呢！可以把红色和蓝色混合在一起，嗯，还可以把瓶子绿和牛尾巴棕放在一起……"

普鲁布脱掉沾满颜料、像是一道七色彩虹的工作服。接着，他又穿上了他的外套，踏上了回家的路。在经过布朗姆先生办公室的窗口时，他本想进去看看他，告诉他今天发生的一切。不过普鲁布仔细想了想，觉得布朗姆先生是个大忙人，肯定有比接待他更重要的事情要做。大家都下班了，而布朗姆先生还留在办公室里，这表明他事务繁忙。而且，他肯定已经看到了那些彩色的云朵，绝对看到了。如果他这一天都没有说什么，那肯定是有原因的。他肯定在调查彩色云朵的反响，或是在研究颜料的问题。布朗姆先生是个很不错的人，是领导，是发号施令的人。

想到这儿，普鲁布没有进去，转过身向家的方向走去，心中充溢着色彩，就像画家的调色板一样。他的激情在未来那幅巨大的画布前澎湃着，那是他生命中新的宏图。

普鲁布眼中原本只有黑白的世界，没想到世界竟充满了色彩。那些房子、汽车、衣服、小草、树、山、傍晚……色彩，色彩，还是色彩。

一切都是如此美妙！

即使他们再次有了黑白的颜料……

也许他可以说服布朗姆先生让他涂绘

一些彩色的云,也许某位顾客要订一朵彩云而

非一朵常规的云,也许……

普鲁布是那样激动,甚至幻想起那些

名画被绘在云朵上面:蒙娜丽莎的微笑,格

尔尼卡,布列塔的投降……

而如果,在这之后,他创作出了很重要

很重要的东西呢?

好啦,明天又将是新的一天,明天就会

弄清这一切了,明天就会知道答案了,总之,

期待明天。

市长的电话

普鲁布心中洋溢着喜悦之情，满怀着对未来的憧憬，对艺术的渴求。与此同时，他的领导布朗姆先生——尊贵而又具有领导能力的厂长，正准备离开工厂。

与普鲁布想象的恰恰相反，布朗姆先生一点儿都不忙，根本没有什么重要的事情要做。他从来就没有忙过，也从来没做过什么重要的事情。为什么呢？因为工厂运

转得好好的，而且退一万步说，即使有事，那里还有负责任的普鲁布管着呢，再复杂的问题普鲁布都会把它们给解决掉的。

不过为了颜面，布朗姆在工厂留到了最后一刻。因为他认为一艘舰艇的船长应该是最后一个离开舰艇的。

其实当天布朗姆来到工厂后，先是看了看报纸，把帕佩鲁姆的新闻都装到了脑海里。接着，又做了一个纵横填字游戏。然后，又接了几个电话，为了不再被打扰，在这之后他拔掉了电话线。这样他就可以专心写致辞了，因为布朗姆先生就要成为帕佩鲁姆的议员了。写完稿子之后，布朗姆先生在办公室里享用了午餐，又午休了两个小时，睡醒之后他修改了一下讲稿，还打开电视看了一场足球赛。都完事之后，他才认真思考了一下工厂的增补计划。这样等他查看那些云朵成品时，他就可以给出一些业务上的意见，以此表明他对工厂里的事情都了解得清清楚楚，对什么问题都明明白白。

总之，这是完美的一天。

布朗姆先生从舒服的座椅上起身，带着满足的表情用手摸了摸他那圆圆的大肚子，把电话线重新接好，打算离开工厂。

046

他感到一种舒适的疲惫。

"完成工作的感觉可真好！"他充满激情地自言自语道。

电话响了起来。

他朝办公室门的方向瞅了一眼。他是接呢——像个接线员似的，举例说明某机器的功效作用，甚至还有详细操作过程，还是不接呢——径直走掉，反正现在已经下班了？

电话继续响着，这让他想起了他的身份以及他肩负的重要责任和崇高使命。

布朗姆先生走向桌子，重新坐在他的扶手椅上，拿起听筒。

"您好，这里是云朵工厂。"他说。

一个愤怒的吼声穿过电话线响起来：

"你疯了吗？你还想不想干了？！"

"您好，我是布朗姆！咦……您怎么了？您

慢慢说！"

布朗姆先生眨了几下眼睛，那个声音有

点儿熟悉……

"请问您找谁？"布朗姆疑惑地问。

"我是市长！你听不出我的声音吗？"

市长的吼叫让人完全听不出他的声

音，但是一知道那边是谁，布朗姆先生迅速

做出了反应。他一下子站了起来。

"市长先生，真荣幸接到您的电话！您

有什么……"

"布朗姆，布朗姆，布朗姆！"帕佩鲁姆市

长的话就像一台努力工作着的活塞一样，

以一个平稳的节奏运动着。

"你在逗我玩呢，还是什么？"市长喊道，

"我要一个解释！"

"一个……解……解释？"布朗姆结巴了，

"我不明白……"

我说错了什么吗？我做错了什么吗？还是

哪里出错了？天哪，这可是我要努力成为议员

的关键时刻呀！

"那些彩色的云朵！你能给我解释一下那是什么意思吗？"

"彩色的……云朵？"

"布朗姆，"市长的音调缓和了下来，"如果你要装作什么都不知道的话，那我就得考虑一下你是否称职了，连你的工厂在做什么都不清楚……"他的声调重新提高到近乎风暴一般，"如果你在五分钟之内还不跟我说实话，你就看着办吧！"

布朗姆先生走近办公室的窗户，打开窗帘。彩色的云？市长先生肯定在开玩笑，或是喝多了！白天的阳光有些刺眼，所以

布朗姆一早就拉下了 窗帘……

几片彩色的斑点云朵，正 向着目的地飘去。

他的 双膝颤抖得弯曲下来，心脏猛地停止了跳动，头脑一片空白。他张大了嘴巴，闭上了眼睛，因为他根本不相信自己看到的一切。

"彩色的云！"布朗姆终于说出话来。

"我知道那是彩色的云！"市长非常不满，"我到现在都不知道那画的是什么东西！"

"画"这个字点醒了布朗姆先生：画，普

鲁布，他的责任！

除了他以外没人能给云朵上色。

"我等着呢，布朗姆！"

布朗姆的脑袋飞快地运转。

"普鲁布疯了"是个好借口。就这个了，还能说什么别的原因吗？

不过普鲁布从没惹过麻烦，直到现在一切都运行得好极了。这事会毁了他。

唉，普鲁布，普鲁布，普鲁布！

"市长先生，我……"布朗姆开始寻找解决事件的方式，"明天我就给您呈交一份详细报告，还有……"

052

"这正是我所期待的，布朗姆。这是为你好。明天上午，手写的！我不想要托辞或是敷衍。我相信你的这份报告能拯救自己。"

"是的，先生。"他努力咽下一口唾液。

"再见，布朗姆。"

"再见，市长先生。"

他们几乎不约而同地挂了电话。接着，布朗姆先生跌落到座椅上，汗如雨下，浑身颤抖，脸色苍白，忧虑不已，惶恐万分……

"噢！"在重新拿起话筒之前，他长长地呻吟了一声，这次他是要给普鲁布打电话。

布朗姆的决定

普鲁布沉浸在幻想中，没有听到电话铃响。

他脑海中幻想到钟声，来自天堂的乐章，还有那可爱的电话所发出的声音……电话？突然，他发现自己从第七层天堂穿过层层云朵跌落到了现实中。

"您好！请讲！"普鲁布的声音充满了活力。

事实上，他正满怀期待地等待第一通电话，第一番赞扬，第一个来采访他的记者，第一个……他要说些什么呢？哎呀，他还从来没有想过这个呢。当然，他肯定不会把所有的功劳都揽到自己身上。他会说，如果没有布朗姆先生的大力支持，什么都不可能完成。在他魔力般的领导下……

"普鲁布！"

是布朗姆先生。

普鲁布太熟悉他的声音了，熟悉得胜过其他任何和蔼的声音。他当然也能理解：那些发号施令的人手头有那么多事情！

"布朗姆先生，"普鲁布疑惑地说，"这是您第一次打电话到我家里……"

"第一次也是最后一次！"布朗姆大声嚷道。

"您看到那些……"普鲁布满怀期望地问道。

"彩色的云！你疯了吗？你是脑袋被门夹了，还是怎么了，画彩色的云？这是一个严肃的工厂！帕佩鲁姆是一个严肃的国家！你已经不清醒了，普鲁布，而且病得还不轻！"

"那是因为颜料出了问题，布朗姆先生。"普鲁布试图为自己辩解一下。

"问题？你确实有一个问题了，普鲁布，你被解雇了！你听到我说的话了吗？解雇了！明天我就会通报市长先生你精神失常了。这是唯一的解决办法。"

"布朗姆先生！"普鲁布结巴了，他彻彻底底被吓住了，"您不能……"

"我不能？"他的上司用一声刺耳的冷笑打断了他的话，这笑声让人非常不愉快，"解雇了，解雇了，解雇了！永别了，普鲁布！"

"啪"的一声，电话断了。

可怜的普鲁布，他脸上那失落的表情无法用言语来形容。

被解雇了！

普鲁布所有的梦想、期待和憧憬都在云朵工厂里面。涂绘云朵是他最喜欢的事，也是他唯一会做和喜爱做的事，是他活着的理由，是他的使命。

彩色的云朵在他心中消失了，恐惧的乌云正在无边无际、疯狂地侵蚀着他。他生命中的光辉和愉悦都已经成为过去，现在只有失败的绝望、忧伤和沉沦。即使他知道所有的艺术家都曾受过挫折，但是也不足以安慰他。

如果布朗姆先生是这么说的，那就是这

yàng
样。

bù lǎng mǔ xiān sheng bú huì cuò de　　tā néng dāng shàng gōng
布朗姆先生不会错的。他能当上工

chǎng chǎng zhǎng shì yǒu yuán yīn de
厂厂长是有原因的。

pǔ lǔ bù pū dǎo zài chuáng shang
普鲁布扑倒在床上。

tā zhī dào tā yì zhěng yè dōu shuì bù zháo le
他知道他一整夜都睡不着了。

ér jiē xià lái de yì tiān　méi yǒu gōng zuò　tā yào gàn shén
而接下来的一天，没有工作，他要干什

me
么？

qí shí　bù lǎng mǔ xiān sheng yě méi yǒu hǎo guò dào nǎr　qù
其实，布朗姆先生也没有好过到哪儿去，

tā zhěng wǎn dōu zài kǎo lǜ shàn hòu de gōng zuò
他整晚都在考虑善后的工作。

nán dào bǎ zé rèn tuī dào pǔ lǔ bù jīng shén shī cháng shang　xǐ
难道把责任推到普鲁布精神失常上，洗

tuō nà xiē zuì míng jiù gòu le ma　zěn me kě néng　wǒ děi qù yí tàng
脱那些罪名就够了吗？怎么可能！我得去一趟

gōng chǎng　　bǎ zhè luàn zāo zāo de jú miàn kòng zhì zhù　hái yǒu jiù
工厂，把这乱糟糟的局面控制住。还有就

是，在近一段时间内，工厂不得不停止生产，取消订货单，把钱返还给那些来投诉彩色云朵的人们。我还得去看看到底发生了什么，想办法证明这个问题不会再次出现。也许我还要去组织一场宣传运动，以防万一。最棘手、最艰难而又最戏剧性的问题是：怎样找人去替代那个无人可以替代的普鲁布？

"我上哪儿去找一个能管理一切事物的负责人和一个云朵涂绘师呢？"

布朗姆先生把自己藏在办公室里，关上了灯，再次拔掉电话线。当天完全黑下

来的时候，他才离开工厂。转了一大圈之后，他在自己影子的保护下回到了家。关上门，躺在床上，这时他才敢大口大口地呼吸。

他一丝睡意也没有。

他将会度过一个糟糕透顶的夜晚。

就像一个可怕的征兆一般，街上正好有一只狗开始悲痛而凄凉地吠叫起来。

shì mín de fǎn xiǎng
市民的反响

shàng wǔ　　dài zhe miàn duì zāo gāo hòu guǒ hé chéng dān zé rèn de
上午,带着面对糟糕后果和承担责任的

yǒng qì yǔ jué xīn　　bù lǎng mǔ xiān sheng dì　yī　gè　lái dào le gōng
勇气与决心,布朗姆先生第一个来到了工

chǎng
厂。

dàn shì tā hái bù zhī dào tā yào zěn me zuò
但是他还不知道他要怎么做。

lǎo tiān bǎo yòu　　xī wàng méi rén lái tóu sù　　bù lǎng mǔ zì
"老天保佑,希望没人来投诉!"布朗姆自

jǐ gěi zì jǐ gǔ jìn
己给自己鼓劲。

dāng gōng chǎng zhōng biǎo de zhǐ zhēn zhǐ xiàng le kāi gōng nà　yí
当工厂钟表的指针指向了开工那一

kè　　shàng bān líng xiǎng le　qǐ lái　　diàn huà líng yě xiǎng le　qǐ lái
刻,上班铃响了起来,电话铃也响了起来。

此时，他所有的勇气都消失得无影无踪。

在未知的灾难面前，布朗姆先生一下子变得渺小了。

他带着仇恨的目光看了一眼电话。

想到这没有云朵的日子，想到那处于危险中的议员职位，布朗姆瞬间迷失了方向。

"投诉已经开始了，肯定的。"他痛苦地感叹道，"这就是灾难的开端。"

他无奈地拿起了听筒。

"喂……喂……喂？"他问得那样胆小，声音就像一阵鬼鬼祟祟的气流钻进了听筒里。

布朗姆原本等着洪水猛兽般的责骂。

但是，他听到的却是一个甜美的声音，充满了儿歌般的活力和喜悦。

"是云朵工厂吗？嗯，我是波普西小姐，帕佩鲁姆幼儿园的负责人。孩子们都特别喜欢昨天飘过这儿的那些云朵！如果您看到他们一整天都在那里一动不动的……您知道那真是太难了！我跟您说，幼儿园里就像是星期天一样安静。噢，那简直太美妙了！我给您打电话就是想知道今天供应的是什么颜色的云彩。"

布朗姆先生沉默着。

"喂，您在听吗？"波普西小姐疑惑地问道。

"在……在。"布朗姆先生重复了他的回答，现在他的语调和之前已经完全不同了。

听到这样赞美的话语，布朗姆的担忧依旧没有改变：这只是一个例外，一种稀奇的情况。那些孩子们的喜爱并不意味着什么。他们只是一时好奇，只是为这场悲剧加入了一丝甜蜜。

当他挂电话的时候，他仍然认为这只是一个特例。

电话铃重新响了起来。

布朗姆先生又闭上眼睛，接起了电话。

"是云朵工厂吗？"一个有教养而热情的

声音传了过来，"我是松巴先生，农场主人。祝贺您！这个主意实在太棒了！多亏了您昨天送来的那片草原绿的云朵，我的奶牛们产奶量翻了一番。它们都陶醉了。我还需要十多片这样的云，越快越好！"

一位顾客要十多片云朵！平常的话要一片就够了！太奇怪了！让人难以置信！布朗姆先生满心疑虑地看看电话机，似乎生怕自己在做梦或是成为某个恶作剧的受害者。到底是怎么回事？难道帕佩鲁姆的居民们都疯了吗？还是疯了的人是他？

费了好大工夫布朗姆先生才找借口说

订单太多、工作太忙，婉转地拒绝了，但是农场主一点儿都没有生气，也没像平时似的大发雷霆。他说他都理解，至少他对先前供应的那些彩色云朵非常满意。接着他又重复了一下那些恭维的话，然后挂了电话。

布朗姆先生根本来不及仔细回想这件事情，电话铃就第三次响了起来。

"我是傅小姐。"一个傲慢的声音响了起来，"我想订一批有很多颜色的云朵。这是后天给我家小兹奥生日宴会上用的。您记下来了吗？很好，就这样。上午愉快，亲爱的工作人员。"

069

布朗姆先生甚至都没有为别人把他当成一个工作人员而感到心烦，他的脑子已经乱了。

布朗姆先生迷糊地做着记录，整个上午都在不停地做记录。他一生中从来都没有这样工作过。到了中午，他记录的订单已经把四个小本子写满了。

高贵的图依想要几片粉红色的云朵搁在窗户对面，与她家的客厅相互映衬。

精明的普拉迪先生则要一朵变化多端的彩云作为肥皂泡的宣传广告。

来自异国的缇季小姐想要一片海蓝色的

云朵，但不是飘浮在天空中，而是降落在她的庭院里，这样她就能想象她有一片湖，或是一小片海。

云朵，云朵，所有人都想要云朵。

"什么时候帮我把云朵送来？"

"多少钱无所谓，请您明天尽可能把它送到这里来！"

"我想与贵工厂合作。您有没有想过生产迷你小彩云用来做枕头？软绵绵的而且不会被拆坏。咱们什么时候一起吃个饭来商量一下这个问题？"

云朵，云朵，突然间，所有人都只想着云

duǒ
朵。

　　sì hū pà pèi lǔ mǔ de měi gè rén shǒu zhōng dōu ná zhe diàn
　　似乎帕佩鲁姆的每个人手中都拿着电
huà　　pà pèi lǔ mǔ de měi gè rén dōu zài gěi yún duǒ gōng chǎng dǎ diàn
话，帕佩鲁姆的每个人都在给云朵工厂打电
huà
话。

　　ér zhèng zài cǐ shí　　bù lǎng mǔ xiān sheng cái zhù yì dào yún duǒ
　　而正在此时，布朗姆先生才注意到云朵
gōng chǎng hái chǔ yú tíng gōng zhuàng tài
工厂还处于停工状态。

　　āi yā　　āi yā　　āi yā　　tā bǐ jǐ gè xiǎo shí qián chàn
　　"哎呀，哎呀，哎呀！"他比几个小时前颤
dǒu de gèng lì hai le
抖得更厉害了。

<ruby>不<rt>bù</rt></ruby> <ruby>可<rt>kě</rt></ruby> <ruby>预<rt>yù</rt></ruby> <ruby>料<rt>liào</rt></ruby> <ruby>的<rt>de</rt></ruby> <ruby>转<rt>zhuǎn</rt></ruby> <ruby>机<rt>jī</rt></ruby>

不可预料的转机

今天一整个上午，频繁的使用已经让电话铃声嘶哑了，不过电话铃还是再一次地响了。

布朗姆先生不想接电话。大中午的，所有人都在吃饭，没人在工作。

"会是谁呢？打电话的这个人难道就这么急，完全不考虑一下别人的作息时间？很有可能又是一位订货的顾客。不过工厂已经有了

快两个月的订货单了。即使是已经提上议程的新工厂开工计划也不能满足这样疯狂的预订。而且,现在还缺少一位负责人和一位涂绘师。布朗姆先生胡思乱想着。

"铃铃铃"的电话声让他从烦恼中回过神来。再怎么说他也是一位商人,一位企业家。

他拿起听筒,还没开口,就听到一个兴致勃勃、热情洋溢、急急切切、特别耳熟的声音:"布朗姆,亲爱的朋友!我心中最可爱的人、最杰出的公民近况如何呀?"

是市长。

不会是别人。

听到尊敬的帕佩鲁姆市长的声音，布朗姆先生跌坐在他的座椅上，这次和前一天晚上的反应截然相反。

"嗨，布朗姆！"市长没有等待布朗姆回答继续说着，"毫无疑问，您肯定在笑，对吧？哈，哈，哈！您以为我昨天疯了吧？我让您吓了一大跳，是不是？但是您是个聪明人，很会抓住时机。我弄错了吗？我确实弄错了，哈哈！"

布朗姆先生的脑子被早上疯狂的电话赞美弄得团团乱，听到市长前后不一的话语更是惊得目瞪口呆。市长亲自发来贺电？

tài yáng dǎ xī bian chū lái le
太阳打西边出来了？

"太棒了！"市长先生非常激动地继续

shuō dào   nín zhēn shì gè tiān cái   jiù shì nín zhè yàng de rén zài yǐn
说道，"您真是个天才！就是您这样的人在引

lǐng zhe shì jiè de cháo liú   nín kàn dào jīn tiān de bào zhǐ le ma
领着世界的潮流！您看到今天的报纸了吗？"

bù lǎng mǔ xiān sheng jì qǐ tā lí kāi jiā de shí hou fēi cháng
布朗姆先生记起他离开家的时候非常

cōng máng   gēn běn méi zài bào kān tíng páng tíng liú   yě méi xīn qíng jì
匆忙，根本没在报刊亭旁停留，也没心情继

xù yǐ yí gè hǎo gōng mín de jué sè qù liǎo jiě zhōu wéi fā shēng de
续以一个好公民的角色去了解周围发生的

shì qing   lìng yì fāng miàn   tā cóng gǔ zi li jiù rèn wéi bào zhǐ kěn
事情。另一方面，他从骨子里就认为报纸肯

dìng huì bǎ yún duǒ gōng chǎng pī bó de tǐ wú wán fū
定会把云朵工厂批驳得体无完肤。

dàn shì   bù lǎng mǔ wán quán cāi cuò le
但是，布朗姆完全猜错了。

tóu bǎn tóu tiáo ya   bù lǎng mǔ   cǎi sè yún duǒ de xīn wén
"头版头条呀，布朗姆，彩色云朵的新闻

zhàn le dì yī bǎn de wǔ gè zhuān lán a   wǒ yì zhěng gè shàng wǔ
占了第一版的五个专栏啊！我一整个上午

都在试图跟您说上话。您知道为什么吗？"

布朗姆先生不知道是为什么，不过市长一上午都没打通电话却没有生气，这还是很能说明问题的。

这是一个信号，真实的信号，传递着一些事情的的确确有了转机。

布朗姆先生的脸上露出了一丝微笑。

"为什么，市长先生？"他想知道。

"啊，狡猾的家伙！"市长也开起了玩笑，"您在装傻，是吗？没关系，我们会有时间来谈论您的发明，您的前途，您的议员职位，还有其他的。不过今天是周日，这可不妙了。"

zhōu rì yòu zěn me le
"周日又怎么了？"

wǒ de tiān na　nà shì xiū xi rì ya　bù lǎng mǔ　méi yǒu
"我的天哪！那是休息日呀！布朗姆，没有

shí jiān kě yǐ làng fèi le　děi shēng chǎn cǎi sè yún duǒ le　zhè shì
时间可以浪费了，得生产彩色云朵了。这是

guān jiàn shí kè a　nín kě bú yào shuō shén me nín děi zuò gèng zhòng
关键时刻啊！您可不要说什么您得做更重

yào de shì qing　wǒ qīn ài de bù lǎng mǔ
要的事情，我亲爱的布朗姆！"

jiē xià lái de bàn xiǎo shí　yīng xióng bān de bù lǎng mǔ xiān sheng
接下来的半小时，英雄般的布朗姆先生

biàn shì zài pà pèi lǔ mǔ shì zhǎng nà wú qióng wú jìn de zàn měi zhī
便是在帕佩鲁姆市长那无穷无尽的赞美之

cí zhōng dù guò de　zhè zhēn shì ràng rén nán yǐ zhì xìn　shì zhǎng xiān
词中度过的。这真是让人难以置信！市长先

sheng gěi tā xǔ nuò zhè ge chéng nuò nà ge　gěi tā jiǎng xiào hua
生给他许诺这个承诺那个，给他讲笑话，

chóng fù le hǎo duō cì qián yì tiān wǎn shang de diàn huà zhǐ shì gēn tā
重复了好多次前一天晚上的电话只是跟他

kāi gè wán xiào lái　cè shì　tā de fǎn yìng　bìng bú shì duì tā de
开个玩笑来"测试"他的反应，并不是对他的

chuàng zuò yǒu suǒ bù mǎn　zuì hòu guà diàn huà shí hái jiān chí hé bù lǎng
创作有所不满，最后挂电话时还坚持和布朗

mǔ yǐ péng you xiāng chēng
姆以朋友相称。

　　guà duàn diàn huà　　bù lǎng mǔ xiān sheng xīn zhōng zhǐ yǒu yí gè
　　挂断电话，布朗姆先生心中只有一个
niàn tou
念头。

　　zhǎo dào pǔ lǔ bù
　　找到普鲁布。

　　nà ge qí miào de　　kě ài de tiān cái dà hǎo rén　　pǔ lǔ
　　那个奇妙的、可爱的天才大好人——普鲁
bù
布。

焦急的拜访

布朗姆一刻也等不下去了。

他大步流星地离开了办公室，在一分钟之内跑出了工厂，就像火箭一样，连他大礼服的下摆也飘了起来。

他那短粗又圆滚的身子，从远处看就像一只在路上滚动的球。

可怜的布朗姆先生，一辈子都没跑过这么多路。

他甚至忘了他的车，跑到半路上才想起他的车还停在工厂里。

"普鲁布！普鲁布……普鲁布！"他气喘吁吁地叫着普鲁布的名字。

他想象着普鲁布在家的样子：一脸无助的神情，不知道该干什么，愁云满面，萎靡不振。啊，如果普鲁布知道这个消息的话他该多高兴呀！

柳暗花明的时刻到了。

当他跑到普鲁布居住的那条街道时，布朗姆先生简直变成了一座喷泉。他汗如雨下，汗水从他身上不停地往外冒，把他的大礼服都给浸湿了。

他连口大气都没来得及喘，用最后一

点儿力气抬起了他的右胳膊，握紧拳头，小心

翼翼地敲响了普鲁布的家门。

咚——咚！

布朗姆先生等着。

没人开门。

布朗姆先生又敲了一遍。

咚——咚！

还是没人开门。

"糟糕透了……"布朗姆先生喃喃自语

着。

很明显普鲁布不在家。

"不在家……他会不会自杀了？不，不，普鲁布才不是这样的人。如果他没有回应，唯一的最明智的解释就是：他出门了。那他会在哪里呢？"阴郁的情绪和不祥的念头一齐涌上了布朗姆先生的心头。

"如果他远走他乡了呢？如果昨晚他就整理好行李离开了帕佩鲁姆……但是如果，他今天读了报纸，意识到他的成功……已经在创办他自己的工厂了呢？"布朗姆先生的感觉越来越不好，不祥之兆也越来越重，他眼前已是一片漆黑，"如果他离开了这个国

家，去别的地方 生 产彩色的云可怎么办？噢，

我完了！"

除了破产之外，还有耻辱。

布朗姆先 生 的脑子现在是一片空白，比

那曾是 整个帕佩鲁姆骄傲的棉花云还要白。

他不相信真的会这样。

他了解普鲁布，彻头彻尾地了解。

他的办公室与普鲁布的工作区之间的距

离根本无须用尺来衡 量，但是即使距离如此

之短，他们之间的接触却是少之又少，可他

了解普鲁布。他生 产云朵已经很多年了。普

鲁布不是个叛徒，也不是个讨人厌的人，更不

是个记仇的人。

他敲响了隔壁的金属门，乒乒——乒

乒！

一个梳着发髻，上唇有一些小绒毛，衣

冠不整的女人出现在他面前。她的脸上写

满了不友好。

"您想要干什么？"她冲布朗姆喊道。

"我想找一下普鲁布先生。"布朗姆说，

"您知道……"

"他不在。"

"我知道他不在，所以我才找他。"

"他今天早上走了。"她咕哝着，准备把

门关上。

"您知不知道他带了行李没有？他对您说什么了没有？他看起来很难过吗？"

布朗姆的坚持惹恼了普鲁布的邻居。

"他为什么带行李？"她说，"为什么他要跟我说点什么？至于是不是很难过……是的，我觉得是的。他从来都是仰视着天空出门，这一次却望向地面。怎么了？您为什么要找他？"

"我能不能找到他事关重大。"四肢乏力的布朗姆先生郑重地说道，"您知道他在哪儿吗？"

“在工作，我觉得。”

云朵工厂的厂长否定地摇了摇头。

“那就真是奇怪了。”那女人茫然地说，

“我不相信他会不去上班。如果今天是星期天……不过不是，今天不是星期天。星期天的时候不一样。”

“为什么？因为普鲁布先生不工作吗？”

“不是。因为星期天的时候他会去帕佩鲁姆公园给鸽子喂食，和孩子们一起玩，去看那个光电喷泉。”

“您觉得……”

“我不晓得。您自己去看看吧。”

还没等普鲁布的邻居关门，布朗姆先生就又跑了起来，迅速消失在了她的视线中。

远远望去，布朗姆先生已经比一个句号还要小了。

měi hǎo de wèi lái
美好的未来

bù lǎng mǔ jiù xiàng yí dào shǎn diàn yí yàng chōng jìn le pà pèi
布朗姆就像一道闪电一样冲进了帕佩

lǔ mǔ gōng yuán gōng yuán li mā ma men dài zhe zì jǐ de hái zi
鲁姆公园。公园里,妈妈们带着自己的孩子

zài sàn bù lǎo rén men xiàng xī yì yí yàng shǔn xī zhe huáng hūn qián
在散步,老人们像蜥蜴一样吮吸着黄昏前

de zuì hòu jǐ lǚ yáng guāng bù lǎng mǔ xiān sheng de chū xiàn bǎ tā
的最后几缕阳光。布朗姆先生的出现把他

men xià le yí dà tiào
们吓了一大跳。

bù lǎng mǔ zhí chōng xiàng gē zi yuán zhè lǐ yí gè rén yǐng dōu
布朗姆直冲向鸽子园,这里一个人影都

méi yǒu jiē zhe tā yòu wàng xiàng ér tóng yóu lè qū nà lǐ yǒu huá
没有。接着,他又望向儿童游乐区,那里有滑

tī qiū qiān mù tou chéng bǎo hái yǒu mí gōng děng dàn yī jiù méi yǒu
梯、秋千、木头城堡还有迷宫等,但依旧没有

普鲁布的身影。最后他走向光电喷泉——

帕佩鲁姆的奇景之一，因为它与任何一座喷泉

都不一样，它会喷出各式各样不同强度的水

柱，到了晚上它还会发光，呈现出一副绝

无仅有的壮观景象。

布朗姆先生从来都是那样忙，他已经

有好多年没看过这个了，不过他知道喷泉是这

样子的。

他也曾经是个孩子。

终于，他停下脚步。

普鲁布就在那儿。

他在为喷泉周围的那些小水滴上色，水

滴们轻轻地绕着喷泉飘舞。他涂绘出了一座活灵活现的彩虹桥，它是那样美丽，美得仿佛来自天堂。在他身边，一群小朋友静静地、出神地注视着他。

当布朗姆正要走向他的时候，突然，他想明白了一切。

匆忙，紧急，订单，惶恐，迅速……

非常，非常，清楚。

普鲁布耐心地涂绘着他的彩虹，细致，专注。他不是一下一下地刷，而是一小笔一小笔地上色，一个小水滴一个小水滴地涂绘。他那艺术家的气质，完美地展现了出来。

布朗姆先生盯着他，对他的仰慕之情油然而生，从他内心深处充溢出对普鲁布的敬爱。现在一切都变得简单起来！

他在石凳上坐下，被夹在一个做着针线活儿的女人和一位发出轻轻鼾声正小憩着的老者之间，面对着普鲁布。当他正要行动之时，普鲁布转过头来，对他微笑了一下。接着，他又继续涂绘起来。

布朗姆先生渐渐平静下来。他的脸颊上又有了颜色，汗水也消失了，心跳也恢复了原来的节奏。

这个下午格外美好。

恰似那座普鲁布逐渐完成的彩虹桥。

就这样过了一个小时，或是两个小时，甚至更长时间。

当艺术品完成，孩子们为其欢呼喝彩之后，普鲁布才走近他的上司。

布朗姆先生站了起来。这时石凳上就只有他一个人了。

"普鲁布。"

"您好，布朗姆先生。我不知道您也喜欢这个。"

孩子们围绕彩虹桥转着圈唱歌。鸽子在他们头上盘旋着，发出悦耳的啼啭。在帕

佩鲁姆的正中心，此时呈现出一派祥和的

景象。

"我是来找您的，普鲁布。"

"真的吗？"普鲁布的脸上焕发出了光

彩。

"昨天……"他的上司开始说道。

"您亲自来找我？"普鲁布惊奇地说，"您

本可以派个人过来的。"

"原谅我，普鲁布。"

"为什么？您没有看报纸吗？大家都喜欢

那些云朵！"

"正是因为如此。"

普鲁布看了看布朗姆。忽然，普鲁布向他挤了挤眼，友好地拍了拍他的肩膀。

"来吧，布朗姆先生，不要这样！"

"真的？我还以为……您没有难过，也没有觉得恼恨，得不到赏识……"布朗姆先生完全惊呆了。

"您就在这儿，不是吗？您觉得怎么样才算难过呢？"

"那么，您会回到云朵工厂来吗？"

"当然会！您想让我去哪里？啊，布朗姆先生！您知道吗？我有一堆关于云朵的新点子。您就等着看我设计的作品吧！"

"普鲁布，普鲁布……"

"您会让我做云朵雕塑吗？会很棒的！"

普鲁布把胳膊搭在布朗姆先生的肩膀上。布朗姆先生更加困惑了，嘴巴也张得更大了。两个人开始向前走去，静静地，沿着公园的小径，远离了光电喷泉。

"我提醒您一下，这一次我会控制更多关于生产方面的事情。"布朗姆先生已经在试探了，"我们要商量商量改革的事，虽然……您即将成为发号施令的人，当然了，还有很多事情要做！从今天开始您不再是普通的负责人。而是……是的，您将会成为新的副

厂长，您觉得怎么样？"

"我会拥有一间稍微大一点儿的办公室来搞我的设计吗？"

"当然了。"

"那秘书呢？我真想有个秘书来帮我。有时候我一个人忙不过来，布朗姆先生。"

"随您便，普鲁布，随您便。"

"那加薪？"当他看到他的上司带着担忧的眼神快速望向他时，他又补充说，"当然了，就一点点。"

布朗姆先生哈哈大笑起来。几小时前他准备给普鲁布冠上合伙人的名号，而现在

tā gèng xiǎng zhè yàng zuò le
他更想这样做了。

dàn shì tā huì màn màn gēn pǔ lǔ bù shuō de　　pǔ lǔ bù shì
但是他会慢慢跟普鲁布说的。普鲁布是

gè kě sù zhī cái
个可塑之才。

kě ài de pǔ lǔ bù
可爱的普鲁布。

tā men liǎ yì zhí tǎo lùn zhe　　jiù xiàng yí duì hǎo péng you yí
他们俩一直讨论着，就像一对好朋友一

yàng　　tā men de shēng yīn kuò sàn kāi lái　　zhí dào xiāo sàn zài gōng yuán
样。他们的声音扩散开来，直到消散在公园

de sì zhōu
的四周……

后记 hòu jì

从那一天起，云朵工厂开始生产彩色云朵，还有云朵雕塑，还有……普鲁布不停地进行创作，他感到身心愉悦。云朵工厂办得非常成功，这里生产的云朵出口到了其他国家，最后整个世界上空都有了彩色云朵。帕佩鲁姆彩色云朵学校也创办起来了，当然，一切都是在普鲁布的领导下完成的。

普鲁布成了一名伟大的艺术家，所有人都敬

yǎng de yì shù jiā
仰的艺术家。

ér bù lǎng mǔ xiān sheng zài zhè zuì yǒu huó lì de qǐ yè li
而布朗姆先生在这最有活力的企业里，

zhǎn xiàn chū le tā zài shēng yi shang de cái zhì jiē zhe jiù hé nǐ
展现出了他在生意上的才智。接着，就和你

xiǎng xiàng de yí yàng tā chéng le pà pèi lǔ mǔ de shì zhǎng
想象的一样，他成了帕佩鲁姆的市长。

rú guǒ nǎ tiān nǐ kàn dào yí zuò jù dà de yān cōng zhèng xiàng
如果哪天你看到一座巨大的烟囱正向

sì miàn bā fāng pēn sǎ yān wù bú yào jué de zhè shì yí zuò fán rén
四面八方喷撒烟雾，不要觉得这是一座烦人

de zhòng wū rǎn gōng chǎng jí shǐ yān wù shì bái sè de hēi sè de
的重污染工厂。即使烟雾是白色的、黑色的

huò shì huī sè de hěn kě néng shì yīn wèi zhè zuò gōng chǎng hái zài fā
或是灰色的，很可能是因为这座工厂还在发

zhǎn zhōng tā hái bù zhī dào kě yǐ bǎ yún duǒ tú huì chéng cǎi sè
展中，它还不知道可以把云朵涂绘成彩色

de
的。

qǐng dài shàng yì diǎn diǎn lè guān lái qī dài
请带上一点点乐观来期待……